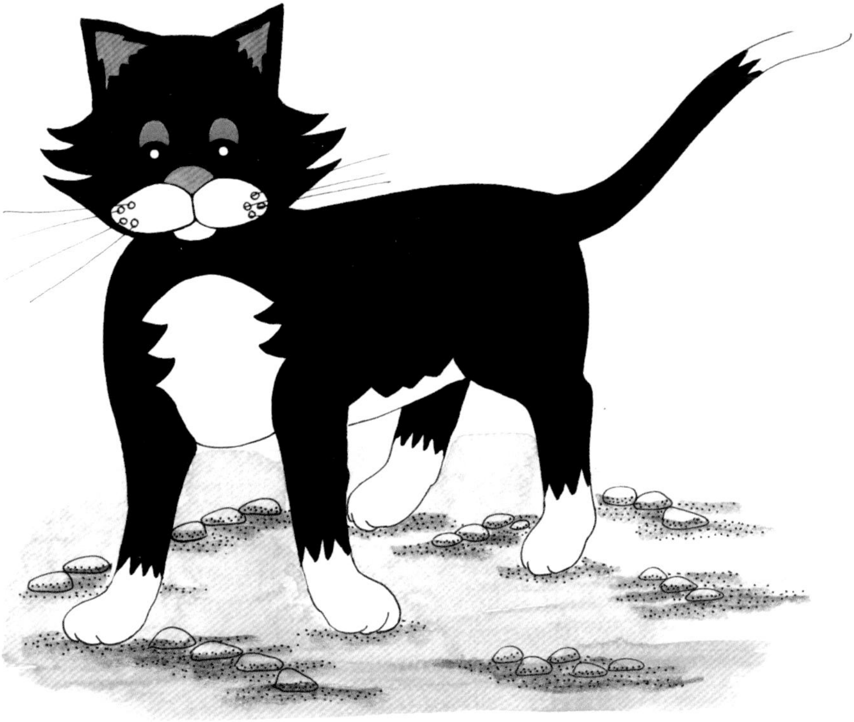

I am Jelly.

I am a cat.

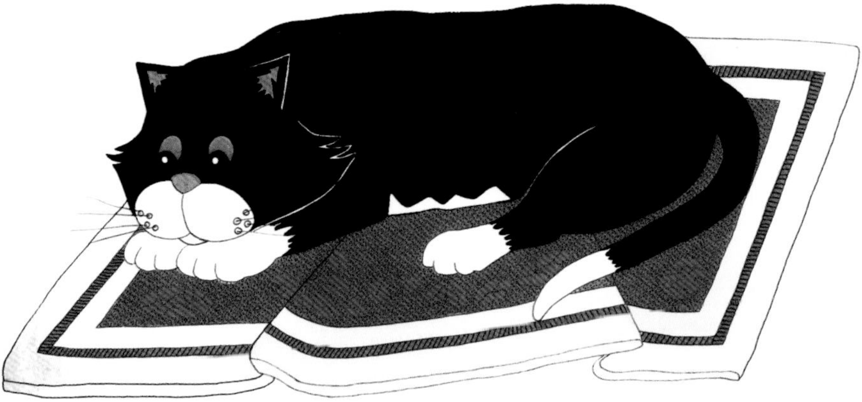

I am on a red mat.

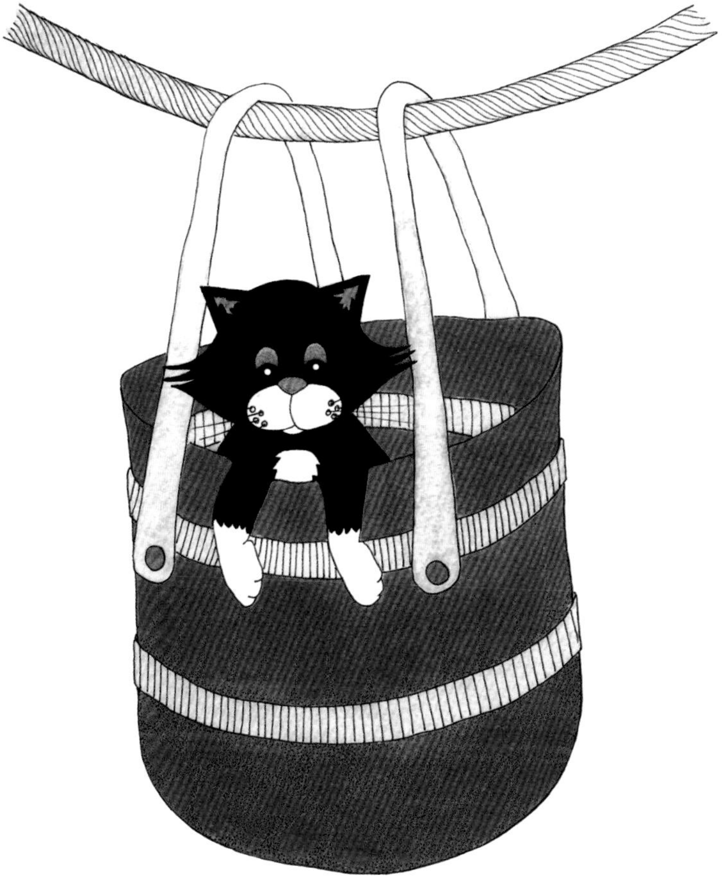

I am in a red bag.

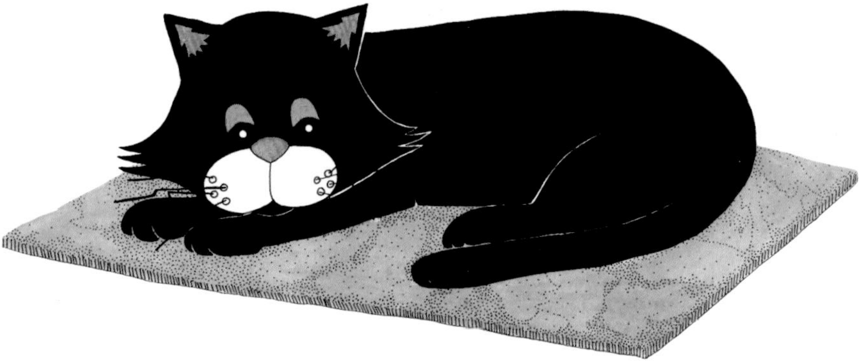

I am Bean.

I am a cat.

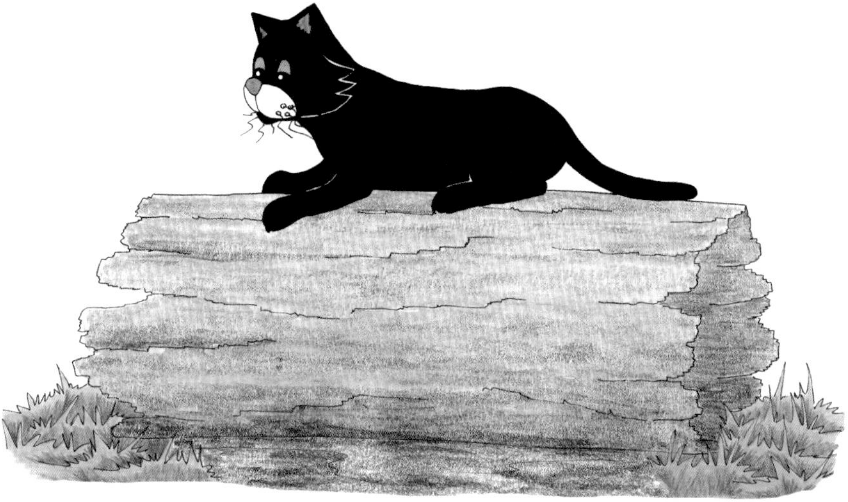

I am on the log.

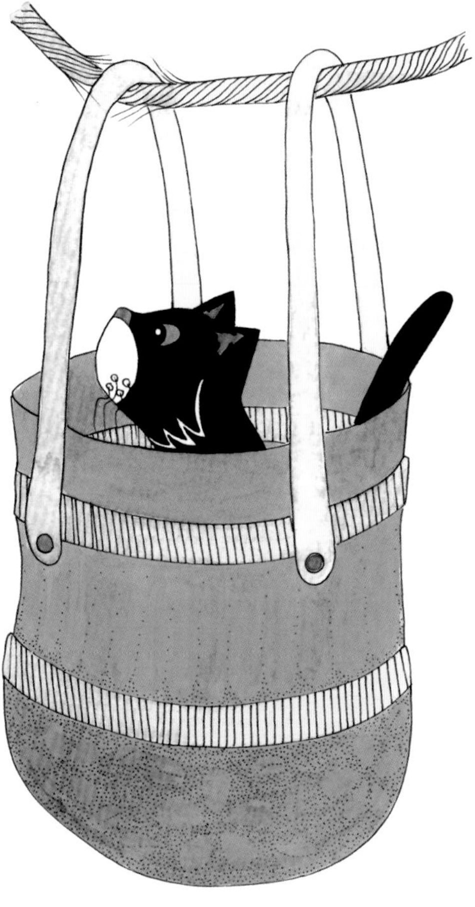

I am in the bag.

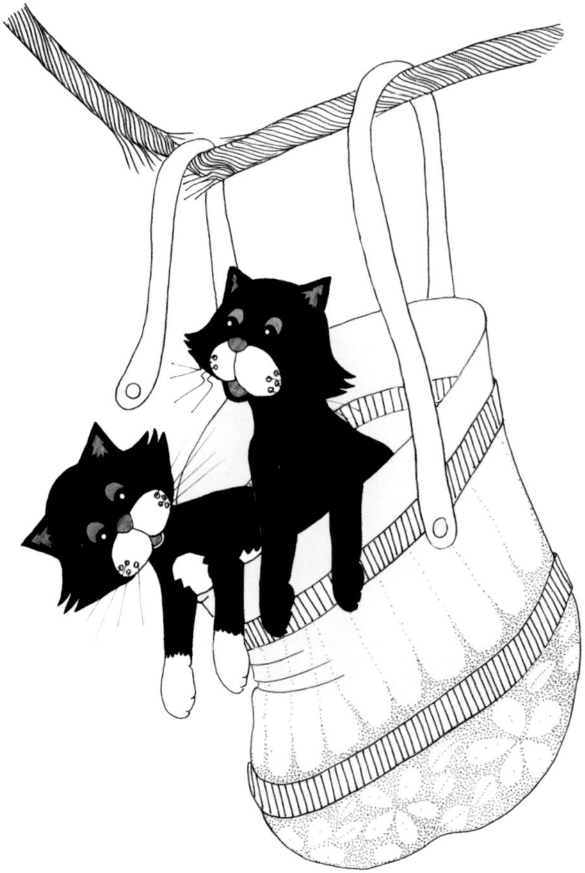

Jelly and Bean in the bag

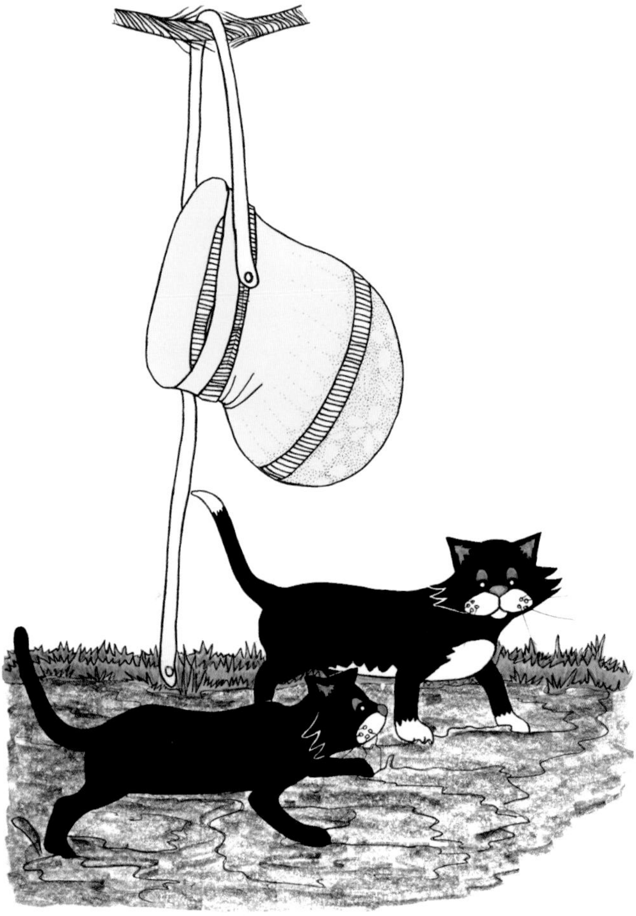

Jelly and Bean in the mud